소중한 _____ 에게

혼자 있는 시간이 필요한 당신
에게 공감과 격려가 되길 바라요.

일상 공감 일러스트 시집

혼자가 편해

초록쿠키

혼자가 편해
#열혈인생_한정하

아무리 생각해도
혼자가 너무 좋은 나는

세상을 살다보면
다양한 사람들 속에서
거친 파도에 휩쓸리듯
이리저리 휘청거리는
나를 마주하게 된다.

그럴 때는 조용한
산책의 시간을 보내야 한다.

계절의 변화와 흐르는 세월을 느끼며
혼자 내딛는 한 걸음 한 걸음은
몸의 세포마저 리셋해주는 느낌이다.

혼자서 조용히 나를 돌아보고
오늘을 살아낼 힘을 얻고
또다시 자발적 아싸가 되기를 결심한다.

세상은
조금 멀리서 바라볼 때가 제일 예쁘다.

"주저리는 작가의 독백에 공감해주시는
  독자님께 감사의 인사를 드립니다"

content

혼자가 편해
#열혈인생 한정하

소주동 193 영주식당

충전

하루의 조용한 순간
내 주위의 세상이 사라질 때

나에게 집중하고
느긋하게 생각할 수 있는 시간

진정한 휴식의 시간

바닥난 에너지가
천천히 차오르는 시간

오늘도 파이팅!

10 눈이 조금만 쌓여도 먹통이 되는 우리동네 골목길

앞으로의 길이 너무 멀게 느껴지고
무수한 장애물이 몰려올 것 같은
압박감이 짓누른다.

그렇지만 두려워하지 마.

모든 발걸음마다 새로운 모험과
새로운 실수의 여정이 이어질 거야.

그러니까 두려워하지 마.

목표를 잃어버리지 않고
한결같은 마음을 유지할 수 있다면
인내의 열매는 반드시 찾아오니까

그러니까.. 오늘도 파이팅!

울진군 225 주전마을 신당 높새바람

희망

오늘의 좌절을 거부하자

마음을 억누르거나
잘못된 길로 이끌거나
직면한 모든 도전에 대해
더 좋은 것을 선택할 수 있도록

온 힘을 다해 감사하며 인내하자
결국 결실을 보게 될거니까

성장

로마는 하루아침에
건설되지 않았다.

나는 오늘도
실수하고 배우며
여전히 성장하고 있다.

매곡외산로 242 한국궁중꽃박물관 대문

15

기꺼이

원하는 목표를 이루기 위해서

변화가 필요하다면
기꺼이..
이 악물고 불편함을 감수하겠다.

천선상 한듬계곡 가는길

고독으로 충전

비오는 날 청춘 사진관

고독은 외로움이 아니다.

고독은

내가
평화를 찾고,
영혼을 재충전하며,
삶의 혼란 속에서
내면의 자아를
재발견하는 곳이다.

인간관계

인간관계에 있어서
나는 양보다 질이 중요해.

친하지 않은 사람들의
시끄러운 왁자지껄함은
내게 소음일 뿐이거든.

나의 단점을 이해하며
함께하는 시간들이 쌓여가면서
깊고 진정한 연결고리가
만들어지는 것이 중요해.

그런 사람이 이세상에
단 한 사람이라도 말이지.

혼자있는시간

경상남도 양산시 용당동 1134 우불신사

혼자 있는 시간은
낭비되는 시간이 아니다.

혼자 있는 시간은

경험을 되돌아보고,
감정을 분석하고,
내가 누구인지,
나에게 가장 중요한 것이
무엇인지에 대해

더 깊이 생각하고,
통찰력을 얻을 수 있는 시간이다.

스몰 토크

신변잡기 잡담은 노관심.

우리에게 중요한
주제에 대해
깊이 파고드는
의미 있는 대화,

진정한 관심과
상호 존중을 바탕으로
관계를 구축하는 걸
중요하게 생각해.

그래서, 난
늘 말수가 적지.

장흥3길 22 해바라기 카페

실패는
성장의 기회

모든 실패에는
씨앗이 숨어 있다.

지금보다 한 단계 더
성장할 수 있는
기회라는 씨앗이
숨어 있다.

열릴 것 같지 않은
문 앞에서도
숨겨진 통로를
끊임없이 찾아 나서면

그 문밖에는 항상
성장이 기다리고 있다.

천성리버타운 후문 회야강 겨울풍경

소주회야로 77 목원상가

이해

이해는
항상 동의하는 것이 아니라

생각이 달라도
존중하고 들어주는 것이다.

때로는1

때로는
손을 잡아주는 사람이
있다는 것만으로도
위안이 될 때가 있다.

우리동네 1번 마을버스

시명길 11 시명골 풍경

때로는2

때로는
가장 단순한 것에서
가장 큰 위안을 받기도 한다.

희망

희망은
가장 어두운 밤에도
길을 밝혀주는 등대와 같다.

희망이 있어서
오늘도 안심이 되고
살만하다.

희망이 있어서
오늘 하루.. 참~밝다.

탑골길 270 대운산자연휴양림 숲속풍경

독립

그리고..

책임감

덕계로 13 덕계종합상설시장 버스정류소

당신은 향기로운 사람

이성적이면서도
상냥한 당신은

아주 희귀하게 피어난
꽃이에요

당신의 다정한 말은
꽃잎처럼 널리퍼져
위로와 힘이 되죠.

향기로운 영혼을 가진 당신.

당신의 삶에도 희귀하게
피어난 꽃이 있기를 바래요.

봄날의 따뜻함

용주로 300 남강서원

황금빛 햇살과 부드러운 바람,
봄이 나무들 사이로 속삭인다.
햇살 가득한 바람 속에서 꽃들이 춤을 춘다.
봄날의 따뜻한 마음이 전해진다.

인생이란..

새로운 모험,
새로운 실수,
두려움 없는 여정.

탑골길 270 대운산자연휴양림

한결같은 마음 유지

인생에서 중요한 것..

잔잔한 바다처럼
흔들리지 않는 마음.

폭풍우와 고요함 속에서도
움직이지 않는 견고한 마음의 길.

집중된... 평화로운 마음.

그 한결같은 마음을 유지하는 것.

양산시 명동 어느 고택

선택

오늘의 좌절을 거부하고,
마음을 억누르거나
잘못된 길로 이끄는
모든 도전에 대해
더 좋은 것을 선택하세요.

창기2길5 슈퍼

당신은 결국 결실을 보게 될 것입니다

지금 하고 있는 일이
반드시 필요한 일이라면
끝까지 포기하지 마세요.

당신은 결국 결실을
보게 될 것입니다.

클리셰

주인공이 귀인을 만나거나
큰 깨달음을 얻는 클리셰가
나한테도 일어나면 좋겠다.

탑골길 270 대운산자연휴양림 펜션

혼자가 편해

조용한 시간이
나에게 평화를 준다.

부드러운 고요함,
달콤한 해방감.

소음도 필요 없고,
군중도 필요 없다.

고독 속에서
내 영혼은 자유롭다.

천성산 주남정

추적거리는 빗속..
행복한 발걸음

길위에서
빗방울이 춤을 추고,
자연의 음률을 담은
멜로디가 연주된다.

발걸음마다 물방울,
즐거운 소리,

우산이 빙글빙글
장난스럽게 돌고,
세상은 아름답다.

빗 방울 방울마다
새로운 미소로
내 마음을 적신다.

소주회야로 77 목원상가 분식집

56   법기로 198−13 법기수원지 반송(24년,139살)

역시 나는 혼자가 편하다

의연하게 살자

굳센 의지로 꿋꿋하게..

천성산 비로봉 가는길 억새밭

천선상 한듬계곡 가는길

어제의 나와 이별하기

패배자 같고,
찌질해 보이는
아쉬움과 후회가

내 인생을
붙잡지 못하도록

격하게
어제의 찌질한 나와
이별을 고한다.

삼호1길 52 야경

매사에 최선을
다한다는 것

최선을 다하는 삶 덕에
주변으로부터
일에 대한 평판은 좋은데...

문제는 딱 그것뿐이다.

'일 잘하네'라는 평판,
딱 그것뿐이다.

내가
아니어도 돼

안되면
되는 일만 하면 되고,

모르는 건
아는 사람이 하면 되고,

못하는 건
할 줄 아는 사람이 하면 된다.

내가 아니어도 된다.

뭐든 잘해내려고
애쓰지 말자.

소남마을 정겨운 배달 바이크

소남마을 마당있는집

나를 행복하게 만드는 일

좋은 책을 읽든,
음악을 듣든,
자연 속을 산책하든,

매일 나를 행복하게
만드는 일을 하자.

행복

하루의 조용한 순간
내 주위의 세상이 모두 사라질 때..

나의 가장 행복한 순간.

천성산 억새밭 일출

바람의 언덕

꽃잎이
달콤한 향수를 타고
춤을 춘다.

부드러운 산들바람은
신선한 꽃향기를 연주하며
언덕을 쓰다듬는다.

법기리 279-1 카페 도라지 가는길

인내의 열매를 위해
목표를 잃어버리지 말자

인내의 열매를 위해
목표를 잃어버리지 말자.

정신 차리자..

창기마을 담덩쿨집

오늘의 좌절을 거부한다

우리의 인내심과
회복력을 끊임없이
시험하는 세상에서

좌절감은 종종
그림자 속에 숨어 있다.

좌절감을 인정하고,
고통을 인내하며,
매일 역경에 맞서
오늘을 살아 내자.

온 힘을 다해..
감사하며
인내하기

양산시 용주로 300 남강서원

오늘 문득
걸음을 멈추고
돌아본다..

소남마을 꼬마빌딩

디버프

집 밖으로 나가면
일정 시간마다
체력이 점점 줄어드는
디버프가 걸려있는 나.

주남동 31-24 주남교의 아침

난 왜 또 바쁜거야?

젠장...!

삼호1길 33 마트 앞 씨앗호떡 푸드트럭

순응하는 삶 = 편안한 삶

이제는
도전도 싫고,
열심도 싫고,
열정도 없다.

번아웃이 왔나 보다.

그냥저냥 살고 싶다.

평산5길8 COFFEEDOX 카페

선택했으면 뒤돌아보지마

내가 선택한 것,
내가 걸어온 길.

모든 문제들과,
모든 비틀림,
참을 수 없는 순간들.

얻은 것과 잃은 것.

후회는 없어.
다만 내가 성장한 것에
감사할 뿐.

선택했으면 뒤돌아보지 않아.

결과를 그대로 받아들일 뿐.

법기로 198-6 LEESCOFFEE 카페

긍정의 힘

긍정은
행복의 씨앗,
빛나는 빛.

어둠을 변화시키고
밤을 몰아내는 힘.

긍정은
부드러운 손길,
치유의 바람.

걱정을 평안과
안식으로 바꾸는 힘.

긍정은
희망이 시작되는
기쁨의 불꽃.

비겁하게 돌려 말하지 마

자기 의견을 말할 때
다른 사람의 말을 빌려
얘기하는 사람 꼭 있다.

둘러둘러 얘기하는 게
상대를 위한 건지,
자신의 천사표 이미지를
위한 건지 헷갈리나 보다.

이제 그만 할거야

매사에 최선을 다하며
120%의 결과를
내기 위해 애쓰는 건

스스로를 괴롭게
하는 일일 뿐이야.

덕계2길7 덕계종합상설시장 93

동면 법기로 198-13 법기수원지 마을버스

혼자가 아니에요

인생은 낯선 도전으로 가득하지만,
우리는 언제나 혼자가 아니에요.

장흥3길 22 해바라기 카페

괜찮아요

실수해도 괜찮아요.
배우고 성장하는
과정일 뿐이에요.

편혼
해자
　가

발 행 | 2024년07월02일
지은이 | 열혈인생 한정하
일러스트 | 열혈인생 한정하
펴낸이 | 이지영
펴낸곳 | 초록쿠키 출판사
출판사등록번호 | 제25100-2023-000003호
주 소 | 경상남도 양산시 서창로177, 1층
이메일 | chorogkuki@gmail.com

ISBN | 979-11-983958-0-1 (03800)